J'apprends à lir
avec Sami e

La partie de cache-cache

Texte
Emmanuelle Massonaud

Illustrations
Thérèse Bonté

hachette
ÉDUCATION

Avec Sami et Julie, lire est un plaisir !

Avant de lire l'histoire

- Parlez ensemble du titre et de l'illustration en couverture, afin de préparer la compréhension globale de l'histoire.
- Vous pouvez, dans un premier temps, lire l'histoire en entier à votre enfant, pour qu'ensuite il la lise seul.
- Si besoin, proposez les activités de préparation à la lecture aux pages 4 et 5. Elles permettront de déchiffrer les mots les plus difficiles.

Après avoir lu l'histoire

- Parlez ensemble de l'histoire en posant les questions de la page 30 : « As-tu bien compris l'histoire ? »
- Vous pouvez aussi parler ensemble de ses réactions, de son avis, en vous appuyant sur les questions de la page 31 : « Et toi, qu'en penses-tu ? »

Bonne lecture !

Couverture : Mélissa Chalot
Réalisation de la couverture : Sylvie Fécamp
Maquette intérieure : Mélissa Chalot
Mise en pages : Typo-Virgule
Édition : Ludivine Boulicaut

ISBN : 978-2-01-707619-3
© Hachette Livre 2019.

Achevé d'imprimer en Espagne par Unigraf
Dépôt légal : Mai 2019 - Édition 01 - 72/0801/9

Les personnages de l'histoire

Léna

Léo

Basile

Tom

Sami

Julie

Pour préparer ★ la lecture ★

1 Montre le dessin quand tu entends le son (ch) comme dans ca<u>ch</u>e-ca<u>ch</u>e.

2 Montre le dessin quand tu entends le son (k) comme dans <u>c</u>abane.

3 Lis ces syllabes.

| che | chette | cha | gné | gui | trou |

| chan | con | chien | coin | çoi | jou |

4 Lis ces mots-outils.

| pour | dans | qui | et | avec |

| derrière | cette | chien | c'est | chez |

5 Lis les mots de l'histoire.

un banc

la poussette

la statue

une chemise

les fleurs

un cheval

5

Comme chaque samedi après-midi, Sami retrouve ses amis pour une partie de foot.

– Je me mets dans les buts, déclare Léo.

– J'en ai marre du foot !
râle Basile. On ne pourrait
pas changer un peu ?
– Et si on jouait à cache-
cache ? propose Sami.

Tom aperçoit Julie et Léna qui discutent sur un banc.

– Julie, Léna ! Est-ce que vous voulez jouer à cache-cache avec nous ? C'est plus rigolo quand on est nombreux.

– Oh oui ! crie Léna, on arrive tout de suite.

« 1, 2, 3... ce n'est pas toi qui seras le chat... »

Après une longue séance de plouf-plouf, c'est Tom qui est désigné comme chat.

– Tu comptes tout fort

jusqu'à 30, commande Sami.

– Et sans tricher !

renchérit Léo.

Julie a déjà filé en entraînant

Léna avec elle.

Tous partent se cacher.

Tom commence le décompte.

– ... 25, 26, 27, 28, 29... 30 !

hurle Tom qui part inspecter

tous les recoins du jardin.

Derrière cette grande

poussette, ne serait-ce pas

la chemise rouge de Léo ?

Tom continue ses recherches
et passe près d'un lilas
d'où s'échappe un énorme
éternuement ! Puis il entend
des petits chuchotis et
des rires étouffés.

– Julie, Léna, je vous ai
trouvées ! lance Tom.

– Oh zut ! répond Léna,
les fleurs me faisaient
des guilis dans les narines.

« Trriiiiiii !!!! » retentit le sifflet du garde.

– Dites donc, jeune chenapan, voulez-vous descendre de cette statue !

– Trouvé ! s'écrient les amis (Z) qui voient Sami quitter un superbe cheval en pierre.

– Ça ne compte pas, réplique Sami, ce n'est pas le chat qui m'a vu.

Il ne reste plus que Basile
à trouver. Où a-t-il pu
se cacher ?
Tous les amis cherchent
Basile.

Derrière le banc ? Derrière
ce chêne ? Dans ce buisson
touffu ?
Pas la moindre trace
de Basile.

Le jardin ne va pas tarder

à fermer ; peu à peu,

les gens rentrent chez eux.

Les amis commencent à

s'inquiéter, cette partie

de cache-cache n'est plus

très drôle...

– Appelons Basile en lui

disant qu'il a gagné, ça va

le faire sortir de sa cachette,

suggère Sami.

Et les voilà qui parcourent
le jardin en appelant Basile :

– Basile ! Hou-hou !

Basile ! Tu peux sortir !

C'est toi le roi du cache-
cache !

– Basile, montre-toi, ce n'est
pas drôle ! crie Sami.

Mais pas de Basile
à l'horizon…

– J'ai une idée, dit Julie.

Allons chercher Tobi, je suis

sûre qu'il va retrouver

Basile.

– Super idée ! Tu es géniale,

approuve Sami.

Cherche, Tobi, cherche !

Quelques minutes plus tard,
Léna et Julie reviennent
avec Tobi.
Sami pousse le sac de Basile
sous le nez de Tobi.

Tobi renifle le sac, puis
se précipite dans l'aire
de jeux.

Devant la cabane
des tout-petits, Tobi
s'arrête et aboie.

– Venez, c'est là ! crie Sami.

Et dans la cabane,
que découvrent les amis ?

Basile est endormi...

– C'est le chat qui m'a trouvé ? demande-t-il un peu perdu.

– Non, c'est le chien !

La partie de cache-cache est finie, répond Julie, hilare.

– Mon Tobi chéri, tu es trop fort ! conclut Sami soulagé.

Quelle partie de cache-cache !

As-tu bien compris l'histoire ?

1 Qui a l'idée de jouer à cache-cache ?

2 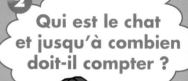 Qui est le chat et jusqu'à combien doit-il compter ?

3 Pourquoi Léna éternue-t-elle ?

4  Sur quel animal se cache Sami ?

5  Où était caché Basile ?